Bienvenue dans le monde des

ALBIN MICHEL JEUNESSE

Salut, c'est Téa, la sœur de Geronimo Stilton! Je suis envoyée spéciale de «L'Écho du rongeur», le journal le plus célèbre de l'île des Souris. J'adore les voyages et j'aime rencontrer des gens du monde entier, comme les Téa Sisters. Ce sont cinq amies vraiment épatantes. Je vous les présente!

Colette a une vraie passion pour le rose et c'est la fille la plus *fashion* du groupe. Toujours occupée à soigner son look, elle est sans cesse en retard!

Violet aime étudier et découvrir sans cesse de nouvelles choses. Elle aime la musique classique et rêve de devenir une grande violoniste!

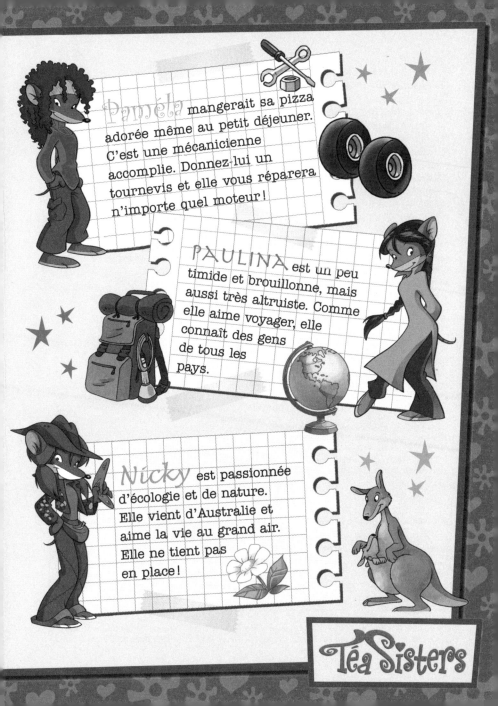

Pamela mangerait sa pizza adorée même au petit déjeuner. C'est une mécanicienne accomplie. Donnez-lui un tournevis et elle vous réparera n'importe quel moteur!

PAULINA est un peu timide et brouillonne, mais aussi très altruiste. Comme elle aime voyager, elle connaît des gens de tous les pays.

Nicky est passionnée d'écologie et de nature. Elle vient d'Australie et aime la vie au grand air. Elle ne tient pas en place!

Téa Sisters

Texte de Téa Stilton.
*Basé sur une idée originale d'*Elisabetta Dami.
*Coordination des textes d'*Alessandra Berello *(Atlantyca S.p.A.)*.
Sujet et supervision des textes de Carolina Capria *et* Mariella Martucci.
Coordination éditoriale de Patrizia Puricelli.
Édition de Daniela Finistauri.
Coordination artistique de Flavio Ferron.
Assistance artistique de Tommaso Valsecchi.
Couverture de Giuseppe Facciotto.
Illustrations intérieures de Barbara Pellizzari *(dessins) et* Francesco Castelli *(couleurs)*.
Graphisme de Chiara Cebraro.
Cartes : Archives Piemme.
Traduction de Béatrice Didiot.

www.geronimostilton.com

Pour l'édition originale :
© 2012, Edizioni Piemme S.p.A. – Corso Como, 15 – 20154 Milan, Italie
sous le titre *La ricetta dell'amicizia*
International rights © Atlantyca S.p.A. – Via Leopardi, 8 – 20123 Milan, Italie
www.atlantyca.com – contact : foreignrights@atlantyca.it
Pour l'édition française :
© 2014, Albin Michel Jeunesse – 22, rue Huyghens, 75014 Paris
www.albin-michel.fr
Loi 49-956 du 16 juillet 1949 sur les publications destinées à la jeunesse
Dépôt légal : premier semestre 2014
Numéro d'édition : 21039
Isbn-13 : 978-2-226-25246-3
Imprimé en France par Pollina S.A. en décembre 2013 - L66428

Stilton est le nom d'un célèbre fromage anglais. C'est une marque déposée de Stilton Cheese Makers'
Association. Pour plus d'informations, vous pouvez consulter le site www.stiltoncheese.com

Téa Stilton

LA RECETTE DE L'AMITIÉ

ALBIN MICHEL JEUNESSE

Un recteur aux fourneaux !

Le secret pour préparer un excellent soufflé tient en une seule règle : ne surtout **JAMAIS** ouvrir la porte du four avant la fin de la cuisson, sinon la **PÂTE** qui monte dans le moule se dégonflera aussitôt comme un **BALLON** crevé !
C'est la découverte que le recteur Octave Encyclopédique de Ratis fit, cet après-midi-là, en regardant à la télévision son émission de cuisine favorite, *« Mangez sain avec Gougère ! »*. Divers cuisiniers amateurs s'y mesuraient sous la tutelle du célèbre chef Gougère.

La recette du jour était celle du SOUFFLÉ AU FROMAGE. Or celui qu'avait mitonné Gougère était si appétissant qu'Octave Encyclopédique de Ratis n'avait su résister : ce **SOIR**-là, après que les étudiants s'étaient retirés dans leur chambre, il s'était glissé dans les cuisines du collège de Raxford pour se mettre au travail !

– *Qui a bien mélangé est sur la voie du succès !* chantonnait le recteur sur le même TON que le grand chef en observant, à travers la vitre du four, la préparation qui levait et devenait fabuleusement MOELLEUSE. Quelle merveille !

Ses pensées furent interrompues par une sonnerie.

DRIIING !!!

– C'est prêt ! s'exclama Octave Encyclopédique de Ratis, persuadé d'entendre le timbre du minuteur.

Il courut ouvrir le four, et… le soufflé s'affaissa comme un coussin qui perd ses plumes ! Comment était-ce possible ?

DRIIING !!!

Soudain le mystère s'éclaircit : le son ne provenait pas du four, mais de son téléphone portable !

– Allô ? répondit le rongeur, les moustaches frémissantes d'indignation.

Qui donc avait osé saboter sa création ?!
– Bonjour, ici le chef Gougère ! Êtes-vous
bien le recteur de Ratis ? Pardonnez-moi de vous
DÉRANGER à une heure aussi tardive…
Octave Encyclopédique de Ratis n'en croyait pas
ses oreilles : il parlait à son cuisinier préféré !
– Je vous appelle à la suite du courrier que vous
m'avez envoyé… reprit celui-ci.

Mais bien sûr ! Un mois plus tôt, le recteur avait écrit une longue lettre à Gougère, dans laquelle il le conviait à Raxford afin d'y dispenser un cycle de leçons sur l'équilibre alimentaire. Le recteur était convaincu que les étudiants s'en RÉJOUIRAIENT et en retireraient beaucoup !

– Eh bien, je serais ravi d'enseigner ce que je sais aux élèves de votre collège ! acheva Gougère.

Il pouvait d'ailleurs être là dès le lendemain.

Après avoir reposé son téléphone, Octave Encyclopédique de Ratis écarta PRESTEMENT son soufflé raté et, plein d'enthousiasme, regagna son bureau afin d'y planifier l'ACCUEIL de son invité et l'organisation du nouveau cours.

Bienvenue à un... votre deux visiteurs !

À Raxford, certaines nouvelles se propagent à la **VITESSE** de la lumière. Ainsi, dès le lendemain matin, les Téa Sisters se retrouvèrent pour commenter l'arrivée de Gougère.

– Vous vous rendez compte : un cours sur l'alimentation ! Et animé par l'une des plus grandes toques du monde ! s'exclama Nicky.

En regardant son **émission**, j'ai appris un tas de choses ! assura Violet. Par exemple, l'intérêt de choisir ses aliments en fonction de la saison.

– Moi, j'ai découvert des *mets* non seulement sains et savoureux mais aussi... **ROSES**, comme le risotto aux fraises ! renchérit Colette.

– Ajoutes-y du saumon plus une salade de betteraves et tu obtiendras ton menu IDÉAL : tout un repas dans tes tons préférés ! plaisanta Paulina.

MENU
EN ROSE

RISOTTO AUX FRAISES

SAUMON GRILLÉ

BETTERAVES

Les cinq filles partirent d'un grand éclat de rire, puis chacune se lança dans la description d'un menu correspondant à ses goûts. Celui de Paulina se composait de légumes frais aux mille couleurs : celui de Nicky prévoyait un solide apport ÉNERGÉTIQUE, adapté à son profil sportif, tandis que celui de Violet comportait des plats très variés, accompagnés d'infusions et de thés particuliers.

– Et pour toi, Pam, quel serait le repas parfait ? Laisse-moi deviner...

Pizza de l'entrée au **DESSERT** ? la taquina
Violet.

En entendant cette remarque, les Téa Sisters
échangèrent des **REGARDS** perplexes : où
se trouvait donc Paméla ? La dernière à l'avoir
vue était Colette.

– Quand je suis sortie de notre chambre, elle
parlait au téléphone… rapporta celle-ci.

Ce que la jeune fille et ses amies ignoraient
était que Pam avait reçu un appel de son frère
Vince lui annonçant que, d'ici quelques **JOURS**,
il viendrait la voir à Raxford.

– Hé, les filles ! claironna Pam en rejoignant le
groupe. J'ai une nouvelle fantasouristique :
nous allons bientôt avoir une visite !

– On est au courant ! lui fit remarquer Paulina, convaincue que son amie faisait allusion à
Gougère.

– Comment est-ce possible? s'enquit Pam, stupéfaite. Moi-même, je ne le sais que depuis quelques minutes!

– Parce que tu étais en ligne, alors que, nous, nous l'avons appris en lisant l'avis épinglé sur le tableau d'affichage!

Un a v i s ? Pour informer le collège de l'arrivée de son frère?... Paméla courut voir le panneau et, quand elle comprit qu'elle et ses camarades parlaient de deux personnes différentes, elle reprit, HILARE :

– Excusez-moi, les amies! Rectification : nous allons bientôt avoir *deux* visites. Gougère et... mon frère Vince!

LA LEÇON EST SERVIE !

Cet après-midi-là, une grande foule envahit l'amphithéâtre. Tous les étudiants brûlaient de savoir ce que Gougère leur avait réservé. Enfin, tous... sauf Pam.

– Franchement, je ne comprends pas votre INTÉRÊT pour un cours consacré à une alimentation *insipide* ! déclara-t-elle en s'installant à côté de ses amies.

– *Saine*, pas *insipide* ! la corrigea Nicky, sous le regard AMUSÉ des autres Téa Sisters.

– Quelle est la différence ? Il s'agit de toute façon de nourriture sans aucun goût... donc pas très DRÔLE ! Tout le contraire de mon en-cas d'aujourd'hui, qui, lui, a fière allure ! affirma

FOUGASSE CROQUANTE

YAOURT AUX CÉRÉALES

Pam en sortant de son sac à dos une généreuse tranche de **FOU-GASSE** croquante.

– Tu crois vraiment que ce qui est **ÉQUILIBRÉ** ne peut pas être bon ? demanda Nicky. Je t'assure que mon **yaourt** aux céréales n'est pas moins parfumé que ta fougasse !

Leur discussion fut interrompue par l'arrivée de Gougère en personne. Il poussait une **desserte** de cuisine sur laquelle étaient posées deux assiettes au contenu **MYSTÉRIEUX**.

– Bonjour à tous ! claironna-t-il avec entrain. Je m'appelle Gougère et je suis ici pour vous apprendre à manger d'une manière à la fois saine et agréable ! J'aurais besoin de l'un de vous. Un volontaire ?

De nombreuses **mains** se levèrent, mais

l'attention du chef fut attirée par un groupe de filles.

C'étaient Colette, Violet, Paulina et Nicky, qui, tout en s'efforçant de ne pas se faire remarquer de leur camarade, **DÉSIGNAIENT** Pam.

Intrigué, Gougère invita celle-ci à le rejoindre et lui dévoila le contenu des deux assiettes :

– J'ai préparé des frites et des pommes de terre rôties. Mademoiselle, pourriez-vous les goûter et

COMMENÇONS PAR UNE ÉPREUVE DE DÉGUSTATION!

me dire lesquelles ont le plus de **SAVEUR** ?

– Sûrement les frites, répondit Pam, mais si vous tenez vraiment à vérifier…

Lorsque la première pomme de terre fit **croc** sous sa dent, Pam fut certaine de ne pas s'être trompée : cette frite était exquise !

Mais quand elle se mit à mâcher l'une des patates rôties, elle n'en crut pas ses papilles : elle était savoureuse… succulente… en un mot…

– **Imbattable!** s'écria-t-elle.

Tandis que Pam mastiquait avec plaisir, Gougère se tourna vers ses élèves et s'exclama, satisfait :

– Eh bien, il semblerait que mes **pommes de terre fantaisie aux épices** ont modifié l'opinion de votre amie !

Pam sourit et, reprenant une bouchée de ce **RÉGAL**, se dit que peut-être… à y repenser… Nicky n'avait pas tout à fait tort : la cuisine équilibrée n'était pas forcément fade et **RÉBAR-BATIVE**!

Un cours très spécial !

Gougère *aimait* enseigner comme lui-même s'était formé : par la pratique ! L'école de cuisine qu'il avait fréquentée était en fait le monde !

Dès sa prime jeunesse, il avait **sillonné** la planète pour découvrir tous les secrets de la nourriture. En Italie, il avait appris à préparer des pâtes fraîches, en Norvège à fumer les harengs, en Inde à utiliser les épices…

Ainsi le grand chef entraîna-t-il ses étudiants dans une série de véritables AVENTURES culinaires ! Par exemple, pour leur prouver que les produits artisanaux sont plus sains que ceux industriels, il les emmena goûter le MIEL

PÂTES FRAÎCHES

ÉPICES

HARENGS FUMÉS

produit par une famille d'apiculteurs de l'île des Baleines ! Pour leur faire voir comment composer un REPAS sain et complet, il les conduisit dans le garde-manger du collège, où il leur exposa les propriétés de chaque ALIMENT et l'intérêt de se nourrir de manière équilibrée, afin d'obtenir la bonne dose de vitamines, de glucides, de protéines et de matières **GRASSES** !

De même insista-t-il sur l'importance de manger des fruits et des légumes de saison, qui contiennent plus de vitamines que ceux cultivés en **SERRE**. Enfin, tous se rendirent au marché, où le célèbre cuisinier montra à ses élèves comment se fier à d'autres sens que la vue et le **GOÛT** pour tester la FRAÎCHEUR des produits !

Grâce à ses suggestions et à tous ses petits **SECRETS**, les habitudes alimentaires des Téa Sisters s'améliorèrent de jour en jour.

MONTREZ-MOI LES PRODUITS DE SAISON !

Fruits et légumes de saison

PRINTEMPS

Kiwi, pomme, poire, citron, nèfle,
abricot, cerise, prune, carotte, petits
pois, radis, fève, céleri, haricots vert
et blanc, courgette.

ÉTÉ

Pastèque, melon, abricot, pêche,
framboise, myrtille, fraise, mûre,
groseille, figue, concombre,
tomate, aubergine, oignon,
basilic, poivron, roquette.

AUTOMNE

Poire, raisin, châtaigne, coing,
grenade, kaki, orange, mandarine,
fenouil, pomme de terre, épinard,
champignon, chou, blette, cardon.

HIVER

Orange, citron, clémentine, mandarine,
pomme, poire, amande, pamplemousse,
noix, artichaut, chou, brocoli, fenouil,
chicorée rouge, chou-fleur, poireau,
navet, mâche, citrouille.

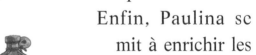

Ainsi Violet apprit-elle à rendre son thé encore meilleur.

– Il suffit de remplacer le SUCRE par du miel !

Nicky retint une astuce pour optimiser son entraînement :

– Une banane avant d'aller COURIR et j'ai toute l'énergie voulue !

Quant à Colette, elle découvrit que savoir reconnaître les **meilleurs** produits était également utile en matière de beauté.

– Figurez-vous que l'huile d'*olive* est un excellent baume pour les lèvres !

Enfin, Paulina se mit à enrichir les **salades** dont elle était friande avec des fruits secs.

– Comme ça, mon repas est plus NOURRIS-SANT !

Mais celle qui tira le plus grand **PROFIT** de cet enseignement fut Pam : sans renoncer à ses plats favoris, elle commença à goûter sans PRÉJUGÉ des

GOÛTE !

plats qui, au premier abord, lui paraissaient sans **INTÉRÊT** !

Cependant, à l'inverse des Téa Sisters, quelqu'un persistait à trouver les leçons de Gougère non seulement ennuyeuses, mais inutiles.

Cette personne n'était autre que Vanilla de Vissen. Tout juste revenue de la leçon que le chef leur avait dispensée au marché, elle s'était

PLAINTE de la petite marche que la classe avait dû faire, avant de conclure :

– Je n'en peux vraiment plus de ce Gougère et de ses ennuyeux discours sur l'alimentation. Heureusement que ses cours sont bientôt TERMINÉS !

La jeune fille terriblement gâtée ne pouvait savoir que le cuisinier leur réservait encore bien des surprises...

Les 10 règles
pour bien manger

1. Adopte une alimentation variée.
2. Consomme toujours des fruits et des légumes.
3. Bois beaucoup d'eau pendant la journée.
4. N'abuse pas des desserts, de ce qui est trop gras (comme les fritures), ni des boissons sucrées.
5. Privilégie les produits de saison, cultivés à proximité.
6. N'attends pas de te sentir lourd pour sortir de table.
7. N'oublie pas de prendre un petit déjeuner équilibré : c'est lui qui te fournit le carburant pour bien commencer ta journée !
8. Mâche bien chaque bouchée pour mieux apprécier ce que tu manges.
9. Pratique un minimum d'activité physique.
10. Accorde une deuxième chance à ce qui ne t'a pas plu : entre-temps tes goûts ont peut-être changé !

INVITÉS ATTENDUS, NOUVELLES INATTENDUES

Les jours passèrent à toute vitesse et pour Gougère vint le moment de quitter Raxford.

Tout en faisant ses **VALISES**, le célèbre cuisinier ne pouvait s'empêcher de penser au vif enthousiasme que son cours avait suscité auprès des étudiants. Tandis qu'il bouclait son dernier gros bagage, il eut une idée FULGURANTE, et sans perdre de temps se précipita dans le bureau du recteur pour la lui soumettre.

Dès qu'il eut franchi le seuil de la pièce, il déclara :

– L'intérêt de vos élèves pour l'alimentation équilibrée constituerait, à mon avis, un excellent exemple pour les jeunes de leur âge !

C'est pourquoi j'aimerais les inviter à mon émission !

Octave Encyclopédique de Ratis le regarda d'un air perplexe.

– Mmmh… Ils en seraient certainement très contents, mais se rendre aux studios leur ferait manquer trop de cours…

– Ne vous en faites pas ! l'**INTERROMPIT** Gougère. Ce ne seraient pas eux qui viendraient à la télévision, mais… la TÉLÉVISION qui viendrait à Raxford !

IDÉE !

Le plan du grand chef était d'annoncer la tenue prochaine d'un cours pratique de cuisine, limité à un petit nombre d'étudiants, afin de n'attirer que les véritables passionnés de casseroles et de fourneaux.

Ceux qui s'inscriraient participeraient  ensuite à un numéro spécial de *« Mangez sain avec Gougère ! »*.

L'idée que l'un des enregistrements de **SON** émission préférée ait lieu au sein même de son collège plut beaucoup au recteur.

Et Gougère de conclure en SOURIANT :

– Vous vous chargez d'informer les élèves… pendant que moi, je vais défaire mes valises ?

Au même moment, dans le port de l'île des Baleines, un garçon aux épaisses BOUCLES châtain foncé et équipé d'un sac à dos descendit la passerelle de l'hydroglisseur.

– Hé, Vince, mon cher grand frère ! cria Paméla depuis le quai, tout en courant *étreindre* son aîné. J'avais tellement hâte de te voir !

– Moi aussi, je brûlais de te serrer dans mes bras ! s'exclama *Vince*, à qui sa sœur avait beaucoup manqué.

En effet, la famille Tangu avait beau être particulièrement **nom-breuse**, l'absence de Pam se faisait sacrément sentir au cœur de leur joyeuse maison new-yorkaise !

– Et maintenant, filons à Raxford ! dit Pam en montant dans son ▨▨▨. J'ai une infinité de choses à te raconter, mais aussi un tas d'endroits

PAPA JELANI ET MAMAN THANDI

à te **MONTRER** et une foule de personnes à te présenter !

Et elle ne plaisantait pas ! Dès qu'ils arrivèrent au collège, la jeune fille emmena Vince faire le tour de ce qu'elle appelait *affectueusement* sa « nouvelle maison ».

Son frère y prit un grand plaisir et, une fois

parvenu dans le JARDIN, salua les Téa Sisters, dont il avait fait la connaissance à New York*. Il sympathisa également avec d'autres camarades de sa sœur.

L'affection que Pam témoignait à ses amies de COEUR était si visible que Vince eut aussitôt l'impression qu'elle avait trouvé à Raxford non seulement une nouvelle maison, mais aussi une nouvelle FAMILLE.

Une fois les présentations achevées, Vince pensa que le moment était venu d'offrir à Pam le CADEAU qu'il lui avait rapporté.

– Pam, j'aimerais te donner…

Mais avant qu'il ait pu terminer sa phrase, une voix se fit entendre…

– Hé, j'ai une nouvelle formidable ! annonça Ron, en arrivant en trombe. Gougère a décidé de rester au collège pour y donner un cours de cuisine, cette fois !

FANTASOURISTIQUE !

– Tu veux dire avec des travaux pratiques ? Et on apprendra à y mitonner ses spécialités ? demanda Nicky, emballée.

– Exactement ! C'est une chance unique ! Mais il faut s'y inscrire au plus vite, car le nombre d'élèves est restreint ! précisa Ron.

– **Mais c'est fanta-souristique !** s'écria Pam. Les filles, courons donner nos noms !

Tandis que le petit groupe se **RUAIT** à l'intérieur du collège, Pam s'attarda encore un moment en compagnie de son frère.

– Pardon, tu voulais me dire quelque chose ?

Vu l'ENTHOUSIASME avec lequel sa sœur avait accueilli la nouvelle du cours de cuisine,

Vince songea qu'il aurait d'autres occasions de lui remettre son cadeau et préféra la laisser partir. Ainsi se contenta-t-il de répondre :

— Rien d'important... Va vite t'inscrire !

MERCI, MON GRAND FRÈRE !

UNE ANNONCE AVEC SURPRISE À LA CLEF !

De nombreux étudiants étaient accourus pour s'inscrire au cours de cuisine de Gougère, mais seuls les **douze** premiers avaient été pris. À présent, le grand chef s'apprêtait à révéler la liste des heureux ADMIS, ainsi que leur participation à un enregistrement de son ÉMISSION ! Pour faire son annonce, Gougère avait choisi le lieu où les étudiants prenaient quotidiennement leur repas : le réfectoire.

– Bonsoir, jeunes gens ! tonna-t-il dans un méga-phone.

Les élèves, occupés à manger et à bavarder à leurs tables, SURSAUTÈRENT.

– J'ai une communication **IMPORTANTE** à vous faire…

À ces mots, le silence se fit et les dîneurs s'immobilisèrent, fourchette en l'air.

– Voici les **noms** de ceux qui ont été les premiers à s'inscrire.

Une salve d'**APPLAUDISSEMENTS** éclata dans la pièce : ceux qui avaient déposé leur demande trop **TARD** se réjouissaient pour leurs amis qui étaient arrivés à temps ! La seule à trouver qu'il n'y avait rien à fêter était Vanilla, qui demanda **VERTEMENT** à Connie :

– Enfin, quelle mouche t'a piquée

INSCRITS AU COURS
DE CUISINE

Craig, Shen, Vik, Ron, Elly, Tanja, Connie, Colette, Violet, Nicky, Paulina, Paméla

de postuler à ce cours ? Les Vanilla Girls ne se **SALISSENT** pas les mains en faisant la cuisine : elles ont toujours quelqu'un qui s'en charge POUR elles ! Connie allait lui répondre que les leçons de Gougère lui avaient plu et qu'elle était IMPATIENTE de se remettre aux fourneaux, quand l'attention

de tous fut captée par le sifflement du mégaphone, que l'on rallumait.

– Excusez-moi, j'ai OUBLIÉ un détail… ajouta Gougère. En fait, les admis ne suivront pas seulement mes cours, ils participeront également à un **NUMÉRO** spécial de mon émission, qui sera tourné ici même, à Raxford !

– Quoi ?! Nous participerons à une émission de télévision ?! s'écria Pam. Vince, quelle émotion ! Alors que le jeune homme étreignait sa sœur et qu'un tonnerre d'applaudissements résonnait dans le réfectoire, Vanilla écarquilla les yeux : ses camarades apparaîtraient dans une très célèbre émission et elle ne serait pas de la partie ?! IMPOSSIBLE ! Vanilla de Vissen n'était pas née pour rester en coulisses, mais pour se produire devant la caméra !

QUATRE ÉQUIPES EN COMPÉTITION !

Après le **DÎNER**, alors que Vanilla et Connie avaient regagné leur chambre, Vanilla demanda à son amie de RENONCER à la compétition télévisée à laquelle elle tenait tant pour lui céder sa place.

– Me retirer pour te laisser participer ? Hors de question ! répliqua celle-ci.

Face à ce refus, Vanilla tourna les talons, mais quand elle revint, un peu plus tard, elle arborait le plus éclatant des sourires… signe infaillible qu'elle avait un plan bien précis pour tenter d'obtenir ce qu'elle *voulait* !

Elle s'était dit qu'il lui suffirait de proposer de

le troquer contre une chose que Connie désirait **ARDEMMENT**.

Aussitôt ourdi, aussitôt fait : Vanilla s'était empressée de téléphoner à sa mère, qui avait réussi à lui dénicher un passe privilège pour un certain festival de rock.

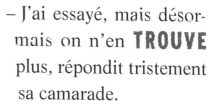

– As-tu pu acheter un billet pour les concerts auxquels tu aimerais assister cet ÉTÉ ? demanda Vanilla à Connie.

– J'ai essayé, mais désormais on n'en **TROUVE** plus, répondit tristement sa camarade.

– Eh bien, ce n'est pas ce que je dirais… En fait, j'ai réussi à me procurer un l a i s s e r - p a s s e r…

La manœuvre fonctionna comme prévu. C'est ainsi que, le lendemain matin, dans la **salle** où Gougère avait convoqué les participants à l'**ÉMISSION**, l'un d'eux manquait.

– Hé, mais où est Connie ? s'enquit Paulina en regardant tout **AUTOUR** d'elle.

– Je ne sais pas, mais son retard m'étonne, répondit Violet.

– C'est vrai : hier **SOIR**, elle semblait vraiment impatiente de commencer ! observa Nicky. Juste à ce moment, Gougère s'éclaircit la voix.

– Comme vous le savez, mon émission met en lice plusieurs cuisiniers. Or, comme vous êtes **nombreux**, j'ai décidé de vous faire concourir par équipes, ou « brigades », comme on dit dans la restauration !

La **première** brigade réunissait Pam, Nicky et Paulina ; la **deuxième** Craig, Ron et Tanja, et la **troisième** Vik, Elly et Violet.

– Excusez-moi ! intervint Colette. La **quatrième** équipe devrait être composée de Shen, Connie et moi, mais personne n'a vu Connie !

– Votre camarade a **ABANDONNÉ**, mais elle s'est fait remplacer par une amie ! expliqua Gougère.

Tous entendirent alors des *PAS* résonner dans le couloir, et dans la pièce entra Vanilla, vêtue d'un tablier !

– Vanilla ? Qu'est-ce que tu fais là ? s'exclama Colette, SURPRISE.

– Tu ne sais donc pas que j'ai une grande passion pour la cuisine ?! rétorqua **crânement** la jeune fille.

– Ah oui ? Et depuis quand ? demanda Shen avec scepticisme.

– Mais depuis toujours ! lâcha-t-elle. Tout le monde connaît ma **SPÉCIALITÉ** : la… euh… meringue… de lentilles… marinée… à la vapeur… du four !

Shen et Colette échangèrent un regard INQUIET : comme Vanilla n'entendait strictement rien à la cuisine, ils allaient en voir des vertes et des pas mûres !

Opération transfert

La compétition comportait quatre **épreuves**, au cours desquelles chaque brigade devait démontrer son savoir-faire. Celles-ci se dérouleraient dans le studio, doté de cuisines équipées, que l'on était en train de reconstituer à Raxford. Comme le montage d'un plateau de télévision n'est pas une mince affaire, dans les jours qui précédèrent l'enregistrement, l'île des Baleines fut **envahie** par une foule de techniciens et de machinistes, qui travaillèrent jour et nuit. Le studio de *« Mangez sain avec Gougère ! Spécial Raxford »* occuperait une vaste salle du collège.

Les Téa Sisters s'efforcèrent d'aider l'équipe

de télévision. Pam offrit ainsi au jeune homme chargé de dénicher les accessoires pour le tournage de lui servir de CHAUFFEUR à travers l'île. Se faisant une joie de faire partager à son frère une expérience aussi INSOLITE et DIVERTISSANTE, elle lui proposa de les accompagner.

Vince s'amusa, en effet, tout en regrettant de passer aussi peu de temps en tête à tête avec sa sœur. Il n'avait même pas pu lui donner son CADEAU... et comme la compétition était sur le point de commencer, qui sait quand il y parviendrait ?

ON PASSE
À L'ANTENNE !

Finalement, le moment de passer à l'ANTENNE arriva. Les Téa Sisters et leurs camarades firent leur entrée dans le studio, **ILLUMINÉ** par les projecteurs.

– Waouh ! s'exclama Violet. En un rien de temps, ils ont réussi à monter tout un plateau, **CUISINES** comprises !

– C'est vrai ! Et quand je pense qu'on va devoir faire nos preuves ici…

– Pourvu que nous nous rappelions tout ce que Gougère nous a appris, espéra Craig, sinon quelle **honte** !

Un jeune homme chargé de gros **CARTONS** s'approcha alors d'eux.

– Salut, tout le monde ! Je m'appelle Tom et je vous aiderai à vous déplacer sur le plateau pendant les prises. Mais tout d'abord, enfilez ça ! Tout en parlant, il leur tendit des tabliers de *couleur*.

Tout est dans le look !

– Il y en a **UN** de trop ! s'étonna Tom après que chacun eut reçu le **sien**.

– Non, c'est celui de Vanilla… quand elle aura fini de se faire coiffer ! expliqua Colette en indiquant un coin du studio où la jeune fille, installée comme une **STAR**, se faisait belle pour l'émission.

Lorsque même Vanilla fut prête, les concurrents suivirent Tom jusqu'à leurs places derrière les fourneaux. Quelle **émotion** de se trouver là ! Sous l'éblouissante lumière des projecteurs, les étudiants sentirent leurs jambes FLAGEOLER. La plus agitée de tous était Pam, qui ne cessait de se demander si elle serait capable de mijoter des plats équilibrés.

FFFUUUIIIFFFUUUIIIT !

Elle fut cependant tirée de ses ruminations par un SIFFLEMENT à nul autre pareil : celui de Vince ! Assis dans le public, au milieu des étudiants, son frère lui adressait des signes d'encouragement ! Tandis que Pam, toute CONTENTE, souriait, la voix du réalisateur résonna dans le studio :

Vas-y, Pam !

– Tout le monde est prêt ? Trois, deux, un ! ANTENNE !

De chaleureux **APPLAUDISSEMENTS** ponctuèrent l'arrivée de Gougère, qui, après avoir salué le public, présenta les brigades. Pendant ce temps, dans les coulisses, le recteur de Ratis se *PRÉPARAIT* en vue de sa propre entrée en scène. La grande toque avait insisté pour qu'il annonce personnellement la première épreuve.

– «Bonjour, chef Gougère, et bonjour à vous, téléspectateurs, qui nous regardez depuis chez vous», répétait-il nerveusement dans sa barbe.

Bonjour chef Gougère et bonjour à vous téléspectateurs qui nous regardez depuis chez vous. Bonjour chef Gougère et bonjour à vous téléspectateurs qui nous regardez depuis chez vous. Bon...

Alors se fit entendre la voix de Gougère, qui l'invitait à le rejoindre.

– À présent souhaitons la **BIENVENUE** à Octave Encyclopédique de Ratis !

CLAP ! CLAP ! CLAP ! CLAP !
CLAP ! CLAP ! CLAP ! CLAP !

Lorsqu'il se retrouva devant les caméras, le recteur perdit l'air désinvolte qu'il avait adopté devant son **MIROIR**.

– Hum… bonjour, chef, qui nous regardez depuis chez vous et bonjour à tous les téléspectateurs Gougère !

Heureusement, le célèbre cuisinier garda son sang-froid et éclata de rire :

– Comme notre ami est sympathique ! Et maintenant, lançons la première épreuve : les courses au **marché** !

Tous
au marché !c

Comme l'avait expliqué Gougère, la première ÉPREUVE consistait à acheter les **MEILLEURS** produits pour réaliser le dessert de son choix. Temps à disposition : trente minutes ! Pour ce faire, les brigades devaient quitter le studio et suivre le grand chef au marché de l'île des Baleines !

Dès que tous furent sortis, Vanilla se dirigea droit vers une **PIMPANTE** fourgonnette. Alors qu'elle s'apprêtait à y monter, la voix de Gougère résonna derrière elle :

– Hé, mademoiselle, où allez-vous ? Ce véhicule est réservé à l'équipe qui vous filmera…

– Vous ne pensez tout de même pas que je vais

aller jusqu'au village à **PIED** ?! s'indigna la jeune fille.

– Bien sûr que non ! Nous nous y rendrons en bicyclette ! répondit le chef en donnant le signal du départ au chauffeur du ▨▨▨▨ technique.

En démarrant, celui-ci dévoila aux concurrents quatre étincelantes triplettes. Lorsqu'ils les eurent enfourchées, ceux-ci pédalèrent jusqu'au marché.

C'EST AMUSANT !

HA, HA !

– Jeunes gens, une demi-heure est **vite** écoulée !
prévint Gougère en descendant de la bicyclette
sur laquelle il les avait suivis. Vous devez donc
décider rapidement quel mets vous souhai-
tez préparer et vous hâter d'en acquérir les
ingrédients ! *Pâtissiers, à vos marques,
prêts… PARTEZ !*
Comme la brigade **orange**, formée par Paméla,
Nicky et Paulina, et la **verte**, composée de Craig,
Ron et Tanja, avaient déjà choisi leur recette,

POUF POUF…

elles partirent d'un pas assuré vers les étals.
En revanche, la brigade jaune, réunissant
Violet, Vik et Elly, et la turquoise, regrou-
pant Colette, Shen et Vanilla, s'accordèrent
encore quelques minutes pour trouver la bonne
idée.

– Que diriez-vous d'un gâteau au yaourt ? proposa Vik.

– C'est très bon, mais on pourrait peut-être
penser à quelque chose de plus naturel... répondit Elly, après un temps de réflexion.

– Ou intégrant des produits plus ARTISA-
NAUX ! s'exclama Violet en apercevant le stand
tenu par la famille d'apiculteurs rencontrée grâce
à Gougère. Suivez-moi, j'ai une piste !

Pendant ce temps, Colette proposait à ses par-
tenaires de la brigade turquoise :

– Nous pourrions utiliser de la pâte feuilletée...

– Oui, et la farcir de FRUITS de saison...

comme des abricots ou des figues ! suggéra Shen.

– BRAVO ! Va pour un strudel aux figues avec de la confiture d'abricots ! Qu'en penses-tu, Vanilla ?

En entendant prononcer son nom, la jeune fille, dont la DISTRACTION était évidente, feignit tout de même de suivre :

– Ah, oui ! Oui, bien sûr, quelle bonne idée… Cuisinons un dessert…

Plutôt que de s'efforcer d'aider ses co-équipiers à gagner, elle cherchait activement le moyen de faire perdre leurs adversaires.

– En somme, il nous faut les ingrédients pour faire la pâte feuilletée, une bonne confiture d'abricots et naturellement d'excellentes figues !

Du coin de l'ŒIL, Vanilla vit

la brigade verte s'arrêter devant des cagettes de fruits et s'écria :

– Je me charge des figues !

Et, sans un mot de plus, elle **FILA** vers les autres concurrents.

PRENONS LES PÊCHES !

LES MEILLEURES COMMISSIONS

Tandis que Colette et Shen se procuraient le reste des ingrédients pour le **STRUDEL**, Vanilla mit son plan à exécution. Après s'être assurée qu'elle n'était pas filmée, elle s'approcha de la brigade verte et, PROFITANT d'un instant de distraction de Craig, retira de son cabas un sachet rempli de pêches, qu'elle jeta parmi les déchets.

– Jeunes gens, c'est bientôt fini ! s'écria alors Gougère. Le temps est presque entièrement écoulé !

Colette adressa à Shen un regard **PRÉOCCUPÉ**.

– Qu'est devenue Vanilla ?

– Elle est à l'étal du maraîcher ! répondit le

garçon en la **POINTANT** du doigt. Vanilla, dépêche-toi !

Rappelée à l'ordre, Vanilla s'approcha d'un **CAGEOT** de figues fraîches et, après en avoir effleuré une, retira promptement sa main.

– Mais elles sont toutes **SALES** !

La marchande la fixa, l'air abasourdi.

– Évidemment, elles viennent d'être cueillies. Il suffit de les **LAVER** !

CES FIGUES SONT SALES !

PARCE QU'ELLES SONT FRAÎCHES !

– Pas question que je le fasse ! Eh bien, je vais plutôt prendre celles-là. Elles me paraissent plus PROPRES ! répliqua-t-elle en saisissant un paquet de figues sèches avant de REJOINDRE son équipe.

Impatients de connaître le jugement de Gougère sur leurs achats, les concurrents regagnèrent le studio en un ÉCLAIR !

– Bon retour sur le plateau ! claironna le chef. L'heure est venue de me révéler la recette que vous avez retenue et de me MONTRER vos commissions !

La brigade orange prit la parole :

– Notre dessert est ce qu'on appelle un «délice au citron». Pour le réaliser, nous avons acheté des CITRONS d'été, dont c'est la pleine saison.

– Très bien, répondit Gougère, satisfait. Et vous, la brigade verte, qu'avez-vous choisi ?

– Des pêches farcies ! annonça fièrement Ron.

– O-oh… s'écria Tanja, occupée avec Craig à étaler leurs courses sur le plan de travail. On a un problème, les amis : les pêches ont DISPARU !

L'équipe expliqua à Gougère qu'elle avait bel et bien acheté ces **FRUITS**, mais celui-ci leur répondit que malheureusement seuls les produits rapportés au studio entraient en ligne de compte.

OÙ SONT LES PÊCHES ?

– Vous vous rattraperez à la prochaine épreuve !

Face au $SUCCÈS$ de sa manœuvre, Vanilla ne put réprimer un sourire, et, quand Colette se mit à présenter leur propre gâteau, elle commença à humer le parfum de la victoire.

– Un strudel aux figues ? répétait Gougère.

Formidable ! DOMMAGE que vous ayez acheté des figues sèches, alors qu'en ce moment les marchés regorgent de figues tout juste cueillies, bien plus riches en VITAMINES !

Agacée par cette remarque, Vanilla tenta de MINIMISER son erreur en prenant pour cible les commissions de l'équipe jaune.

– Oui, mais regardez : eux aussi ont ACHETÉ des fruits secs !

Le panier de Violet, Elly et Vik contenait des œufs, de la farine, du miel, du sucre, du lait, des noisettes, du chocolat et des FRAISES. Ces ingrédients serviraient à préparer des crêpes fourrées avec une crème chocolat-noisettes faite maison et garnies de fraises.

Sans l'ombre d'une hésitation, Gougère déclara :

– Vous avez fait un excellent CHOIX ! Surtout en pensant à confectionner vous-mêmes la crème CHOCOLAT-noisettes au lieu de l'acheter déjà prête ! Les gagnants de la première épreuve sont donc les concurrents de la brigade **jaune** !

CRÊPES GOURMANDES

INGRÉDIENTS POUR LES CRÊPES : 40 g de beurre, plus une noix pour beurrer la poêle ; 250 g de farine ; ½ l de lait ; un sachet de sucre vanillé ; 3 œufs ; une pincée de sel. INGRÉDIENTS POUR LA CRÈME ET LA GARNITURE : 100 g de noisettes pilées, 100 g de chocolat noir, 1 cuillère à café de sucre, 4 cuillères à soupe de lait, 1 barquette de fraises.

Pour préparer la pâte à crêpes, versez dans une terrine la farine tamisée, le sucre vanillé et le sel. Incorporez le lait, les œufs précédemment battus en omelette et le beurre fondu. Mélangez bien et laissez reposer une demi-heure. Puis chauffez une poêle et frottez l'intérieur avec une noix de beurre. Versez en plein milieu une louche de pâte, à répartir sur toute la surface de la poêle. Faites dorer la crêpe une minute de chaque côté, puis déposez-la sur une assiette ; confectionnez les suivantes. Pour la crème, faites fondre le chocolat dans une petite casserole, ajoutez les noisettes pilées, le sucre et le lait. Mélangez bien et placez au frigo pendant une demi-heure. Lorsque ce temps est écoulé, étalez la crème sur toutes les crêpes et pliez-les en quatre. Garnissez le dessus avec des fraises coupées. Bon appétit !

DANS LE MILLE !

Colette profita d'une pause dans l'ÉMISSION pour s'adresser à ses coéquipiers.

– Ne nous décourageons pas ! lança-t-elle avec conviction. La compétition n'en est qu'à son début : nous tâcherons de nous rattraper dans les autres MANCHES !

– Bien dit ! Je suis sûr que dans la prochaine nous donnerons le MEILLEUR de nous-mêmes ! ajouta Shen.

Vanilla acquiesça : elle aussi était certaine de gagner... mais pour des raisons insoupçonnées de ses camarades !

Plus *précisément*, ses raisons étaient au nombre de trois et s'appelaient Alicia, Connie et Zoé. Vanilla les avait envoyées dans le studio avec pour mission de découvrir avant les autres ce que serait l'épreuve suivante. L'**ENQUÊTE** d'Alicia fut la plus brève.

La jeune fille se cacha derrière un portant chargé de v ê t e m e n t s dans l'espoir d'entendre Gougère aborder le sujet avec la costumière. Mais sa cachette ne se révéla pas

MADEMOISELLE, QUE FAITES-VOUS ICI ?

EUH...

des **MEILLEURES** : au bout de quelques minutes seulement, elle fut repérée ! Connie n'obtint pas davantage d'informations **INTÉRES- SANTES**. Elle avait entrepris de bavarder avec Tom pour l'amener à lui confier la nature de la prochaine épreuve. Mais, au beau milieu de la conversation, elle reçut un appel téléphonique et, sans plus se SOUCIER des ordres de Vanilla, s'éloigna sous le REGARD pantois du garçon.

Heureusement, Vanilla put compter sur Zoé, qui imagina le STRATAGÈME

le plus efficace. Armée d'un plateau, elle apporta à Gougère une boisson fraîche en prétendant que c'était le recteur de Ratis qui l'envoyait.

Elle réussit ainsi à épier une discussion très intéressante entre le cuisinier et son ASSISTANT. Puis, dès qu'elle put s'écarter, elle sortit son **portable** et annonça :

– Allô, Vanilla ? J'ai des nouvelles pour toi !

Tiens, tiens...

SABOTAGE AU BEURRE DE CACAHUÈTE

Zoé avait découvert que, lors de l'épreuve suivante, chaque **équipe** recevrait un panier de nourriture et devrait choisir les produits constituant le meilleur **EN-CAS** avant une séance de sport.

Vanilla décida de profiter de cette information pour **PIÉGER** la brigade jaune afin d'éviter qu'elle gagne un point de plus.

Ainsi fila-t-elle rapidement en coulisse vers la table où étaient posés quatre paniers de couleur. Lorsqu'elle fut devant le **jaune**, Vanilla intervertit les étiquettes des pots contenant les denrées les plus saines avec celles des produits les moins appropriés : celle de la mayonnaise avec celle du yaourt à la banane, et celle de la **CONFITURE** de châtaignes avec celle du beurre de cacahuète !

– Là, ils vont perdre, c'est sûr ! marmonna-t-elle en REGAGNANT sa place.

Et elle avait raison. Quand l'épreuve commença, Vik déclara sans hésitation :

HÉ, HÉ, HÉ !

– Le **COACH** personnel de ma mère m'a conseillé de **manger** un petit pain à la confiture avant de m'entraîner. Prenons celle de châtaignes pour préparer un super-sandwich !

Quand Gougère goûta l'**EN-CAS** des jaunes, il s'exclama :

– Le goût est excellent, mais le beurre de cacahuète est un peu trop lourd !

Vik, Elly et Violet se regardèrent, PERPLEXES :
du beurre de cacahuète ? Ils avaient dû prendre
le **MAUVAIS** bocal !

À l'inverse, la salade de fruits préparée par la
brigade turquoise fut jugée trop légère.
Restaient en lice le smoothie banane-chocolat
de l'équipe orange et les biscottes tartinées
de miel de la brigade verte.

– Tous les deux sont délicieux, mais je choisis
le smoothie : il est plus complet, car il allie aux
vertus du lait et des fruits l'apport énergétique
du chocolat !

Supersmoothie

INGRÉDIENTS : 1 banane, ½ l de lait, 1 cuillère à soupe de
sucre, 2 cuillères à soupe de cacao amer.

Versez dans le bol du blender la banane coupée en rondelles, le
lait, le sucre et le cacao. Mixez le tout et servez dans des verres !
Saveur garantie !

Nicky, Paulina et Pam laissèrent éclater leur **joie**. Vince les rejoignit et, embrassant sa **SŒUR**, lui demanda :

– Le chocolat était ton idée, pas vrai ?

– Exact ! répondit-elle.

Puis, souriant à ses amies, elle commenta :

– J'étais certaine qu'il fallait ajouter une petite touche de **goût** !

BRAVO POUR L'IDÉE !

GOÛTE ET ESSAIE !

La brigade jaune avait mis l'échange entre les deux pots sur le compte de la distraction, mais Colette nourrissait un vague soupçon : le petit sourire de Vanilla ne lui avait pas échappé. Elle décida donc de ne pas perdre de vue sa coéquipière au cours de la prochaine manche.

– La troisième épreuve s'appelle « Goûtc et essaie ! » expliqua Gougère. Je vous ferai déguster ma célèbre soupe super-crémeuse, puis vous devrez deviner quels ingrédients j'ai utilisés et la préparer à votre tour.

Le plat était un DÉLICE, mais tous comprirent immédiatement qu'ils ne découvriraient pas facilement sa COMPOSITION !

– D'après moi, il y a de l'oignon… dit Shen.

Colette acquiesça, mais toute son attention était concentrée sur Vanilla. Juste après que Gougère eut donné un coup de pouce aux concurrents en suggérant que la soupe ne devait pas forcément sa couleur   au safran, Vanilla se mit à tournicoter autour du porte-épices. Dans l'instant qui suivit, Colette la vit cacher au creux de sa main un petit sachet de safran et se diriger lentement vers l'équipe orange.

Aux yeux de Colette, tout devint clair : Vanilla voulait s'approcher des casseroles de leurs adversaires pour y VERSER le mauvais ingrédient !

– Hé, Vanilla ! l'appela-t-elle. Fais-moi voir ce que tu as dans la main !

La jeune fille tenta de se défiler, mais Colette saisit son poignet pour s'emparer de l'épice. Tâchant de ne pas **ATTIRER** l'œil des caméras, toutes deux essayèrent de s'arracher le sachet, jusqu'au moment où celui-ci se déchira, libérant une fine POUDRE orangée, qui retomba sur Shen et le fit éternuer en rafale.

À la fin de l'épreuve, Gougère **CONSTATA** avec surprise que les quatre brigades avaient compris ce qui donnait sa teinte à la soupe : la **CITROUILLE** !

La victoire alla toutefois à l'équipe verte, la seule à avoir identifié l'autre ingrédient ESSENTIEL de son plat : les crevettes !

On n'eut pourtant pas le temps de féliciter les gagnants, tous les regards se portant sur Shen, dont la peau s'était couverte de **taches** rouges...

UNE ÉQUIPE
INSOLITE...

– Comment ? Shen est **allergique** au safran ?!
répéta Pam, stupéfaite.

Elle et les autres Téa Sisters avaient profité de la
pause précédant la quatrième **MANCHE** pour
rejoindre Colette afin de s'enquérir de la santé
du garçon.

– Le médecin a dit qu'il guérirait vite, mais
qu'aujourd'hui il ne pourrait pas se remettre aux
FOURNÉAUX ! répondit Colette, **AFFLIGÉE**.

– Ne te laisse pas abattre, Vanilla et toi restez en
compétition ! tenta de la réconforter Vince.

– À vrai dire, Vanilla est bien trop occupée à
torpiller les autres équipes pour m'aider ! leur
confia Colette.

Vince et les Téa Sisters écoutèrent alors sa description du comportement DÉLOYAL de Vanilla.

– Dans ce cas, tu dois lui parler ! conclut Vince.

– Oui, fais-lui comprendre qu'en agissant ainsi, elle ne réussit qu'à vous causer du tort et à gâcher le plaisir de tous ! ajouta Nicky.

Ragaillardie, Colette prit Vanilla à part et lui déclara :

– Tu ne te rends donc pas compte que si tu avais collaboré avec Shen et moi, au lieu de chercher à

TRAVAILLONS ENSEMBLE !

PFFF...

faire perdre les autres brigades, on aurait peut-être gagné au moins une épreuve ?
Vanilla ne laissa rien paraître, mais le discours de Colette avait fait mouche.
La quatrième et dernière épreuve consistait à imaginer un plat DÉLECTABLE pour le palais et amusant pour les yeux. Quand Gougère donna le signal du départ, Vanilla suggéra à Colette :
– J'ai peut-être une idée… On l'essaie ?
Les étudiants laissèrent libre cours à leur

IMAGINATION ! À partir de **TOMATES** et de petites mozzarellas, Nicky, Pam et Paulina conçurent des champignons dans un champ de **laitue** ! Violet, Elly et Vik proposèrent, quant à eux, des mini-flans aux **ÉPINARDS** et aux **RADIS**.

Avec une aubergine ronde, des **POIVRONS** et une tomate cerise, Craig, Ron et Tanja façonnèrent une araignée de cauchemar !

Araignée de cauchemar

INGRÉDIENTS : 1 petite aubergine ronde, 1 poivron jaune, 1 tomate cerise, de la crème d'anchois en tube.

Faites cuire l'aubergine au four. Puis, avec le tube de crème d'anchois, dessinez une toile d'araignée sur une assiette. Quand l'aubergine est cuite, coupez-la en deux. Placez l'une de ses moitiés au centre de l'assiette et, à un bout, la tomate cerise de manière à former le corps et la tête de l'araignée. Taillez ensuite 8 fines tranches de poivron, et disposez-en 4 de chaque côté de l'aubergine pour représenter les pattes de l'insecte ! Bon appétit...

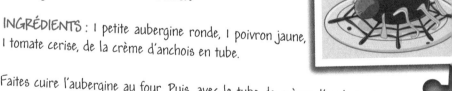

Mais celles qui impressionnèrent le plus Gougère furent Colette et Vanilla. Les deux filles avaient CONFECTIONNÉ un damier avec des cases en purée de carottes et des cases en purée de courgettes, et découpé les pions dans les mêmes *légumes* !

– Assurément, personne ne manque de **créativité** à Raxford ! Mais Colette et Vanilla ont inventé un plat qui donne à la fois envie de manger et de jouer. La VICTOIRE leur revient donc ! proclama Gougère.

UNE DÉCISION DIFFICILE

Au terme de la dernière épreuve, les quatre équipes se retrouvèrent à égalité. Gougère décida alors de suspendre le tournage de l'ÉMISSION pour réfléchir à la marche à suivre. Dès que Paméla apprit la nouvelle, elle courut trouver Vince.

– La compétition a été interrompue : que dirais-tu de louer des **scooters** pour faire le tour de l'île ?

Comme dans la frénésie des jours précédents, Vince avait fréquemment espéré que sa sœur lui CONSACRE enfin un peu de temps, la proposition de Pam l'ENCHANTA.

Mais quand, peu après, il se PRÉSENTA à sa porte avec deux casques, ce fut Colette qui ouvrit.

– Chhhhut, Pam s'est endormie : ce concours de cuisine l'a beaucoup FATIGUÉE ! lui dit-elle.

Regagnant sa chambre, Vince se dit tristement qu'il avait peut-être choisi le MAUVAIS moment pour rendre visite à sa

sœur. Et, voyant combien Pam était ABSORBÉE par sa nouvelle vie, il se DEMANDA si le bon moment arriverait jamais !

C'est ainsi que, le lendemain **MATIN**, il décida bien à regret d'avancer son départ et de **RENTRER** à New York le jour même.

Quand il se mit en quête de sa **SŒUR** pour lui dire au revoir, il ne trouva personne dans sa chambre.

– Tu cherches Pam ? s'enquit une voix derrière lui.

C'était Shen, désormais complètement remis.

– Gougère a convoqué tous les concurrents dans le studio. J'y **VAIS** d'ailleurs de ce pas ! Une fois de plus, Vince se sentit tenu à l'écart. Il se dit alors qu'il valait mieux partir aussitôt et faire ses adieux à Pam dans un petit **mot** qu'il déposerait devant sa porte, avec le cadeau qu'il avait tenté, à maintes reprises, de lui donner.

LES CHEFS D'ÉQUIPE AUX CASSEROLES !

Entre-temps, sur le plateau de « *Mangez sain avec Gougère ! Spécial Raxford* », l'équipe de télévision s'était

IL Y A UNE ÉPREUVE SUBSIDIAIRE !

remise au travail, car le tournage allait reprendre.
Ayant pu s'éclaircir les idées, Gougère expliqua aux concurrents ce qu'il avait prévu :
– Comme vous êtes à **ÉGALITÉ**, j'ai décidé de
vous faire passer une épreuve subsidiaire pour
vous départager. Mais seuls les chefs d'équipe
s'y AFFRONTERONT ! Chaque brigade choi-
sira donc son représentant, qui devra, au cours

QUELLE IDÉE
FANTASOURISTIQUE !

de cette dernière manche, réaliser son plat idéal en respectant les principes d'une alimentation **équilibrée**.

La brigade verte annonça que son **CHEF** d'équipe serait Craig.

– Car c'est le seul à avoir compris que la soupe super-crémeuse contenait des crevettes! commenta Tanja.

– Pour nous, ce sera toi, **Shen**! décréta Colette en ignorant le regard incendiaire que lui lança Vanilla. Comme ton allergie t'a obligé à RENONCER à l'épreuve précédente, il est juste que ce soit toi qui occupes le devant de la scène cette fois!

La brigade jaune choisit Elly, qui avait déjà une PARFAITE idée de plat.

Quand ce fut au tour de l'équipe orange de parler, Nicky déclara à Pam :

– Paulina et moi avons décidé que c'est toi qui **DÉFENDRAIS** nos couleurs !

– Moi ? Mais… vous êtes sûres ? hésita la jeune fille.

– Cela ne fait aucun **DOUTE** ! répondit Paulina. C'est toi qui as tiré le meilleur profit de ce que le chef Gougère nous a **ENSEIGNÉ** !

LES CHEFS D'ÉQUIPE

L'espace d'un instant, Pam éprouva de l'inquiétude : elle n'était pas certaine d'avoir TOUT assimilé et craignait de décevoir ses amies. Mais, en voyant les sourires confiants de Paulina et de Nicky, elle se sentit fière de représenter l'équipe orange.

MAIS... VOUS ÊTES SÛRES?

TU SERAS PARFAITE!

– Merci, les filles ! Je ferai vraiment de mon mieux ! Et devinez quoi ? **Je sais déjà ce que je vais cuisiner !**
En repensant au plat qu'elle avait imaginé, Paméla eut le réflexe de chercher son **FRÈRE** dans le public.

– Hé, mais où est Vince ? s'exclama-t-elle en découvrant son absence. Peut-être ignore-t-il que l'**ÉMISSION** va reprendre ! Il faut que j'aille le prévenir !

– Non, Pam. Reste ici et concentre-toi sur l'épreuve, répondit Nicky, d'un ton déterminé. C'est nous qui allons ramener *Vince* !

À LA RECHERCHE DE VINCE...

Persuadées que Vince avait profité de cette *splendide* journée pour faire une promenade, Nicky et Paulina commencèrent par le chercher dans les **JARDINS** de Raxford. Mais pas de trace de lui aux alentours !

– Peut-être est-il en train de prendre son **petit déjeuner**... se dit Paulina.

– À moins qu'il soit sur le terrain de sport... hasarda Nicky.

Mais avant qu'elle ait pu finir sa **Phrase**, une voix familière se fit entendre :

– Hé, où allez-vous ?

C'était Colette, qui, voyant ses **amies** partir

précipitamment, avait décidé avec Violet de les suivre pour savoir ce qui se passait.

Elles se **joignirent** à Nicky et Paulina pour retrouver Vince, mais celui-ci n'était ni au réfectoire, ni au stade.

– Jetons un coup d'**ŒIL** au deuxième étage... Peut-être est-il allé chercher Pam dans sa chambre ! suggéra Violet.

DEVANT la porte, les jeunes filles ne découvrirent pas Vince, mais un précieux indice.

– Regardez ! Un petit **mot** et un paquet ! annonça Paulina.

Tandis que ses camarades se pressaient autour d'elle, elle s'exclama :

– Ça vient de Vince !

– « Chère Paméla, lut Nicky, j'ai décidé de rentrer à **New York** plus tôt que prévu, car j'ai constaté que tu es très occupée, et je ne tiens pas à te **gêner**... Comme ta nouvelle vie est

pleine d'aventures et d'émotions, je comprends qu'il n'y ait plus de place pour ceux qui faisaient partie de l'ANCIENNE...»

Les quatre Téa Sisters se regardèrent, atterrées : Vince avait MAL interprété l'attitude de sa sœur ! Elles savaient qu'aux yeux de Pam aucun lien n'était plus fort que ceux de la famille !

– Nous devons aller au port pour essayer de l'arrêter ! s'écria Violet.

– Oui ! DÉPÊCHONS-nous, car l'hydro-glisseur du matin va bientôt appareiller !

Ce fut une course contre la montre, mais quand Colette, Paulina, Violet et Nicky parvinrent sur le quai et aperçurent Vince parmi les passagers **attendant** d'embarquer, elles poussèrent un soupir de SOULA-GEMENT.

– Que faites-vous là ? demanda le jeune homme, surpris.

– Nous sommes venues t'empêcher de commettre une ERREUR ! répliqua Nicky.

Les quatre Téa Sisters lui expliquèrent alors que Paméla n'avait absolument pas oublié les êtres chers qu'elle avait laissés à New York ; elle ne ratait d'ailleurs jamais une occasion d'évoquer sa **grande** et chaleureuse famille…

– Ce n'est qu'un malentendu : il suffira de vous parler pour le **dissiper** ! dit Violet.

– En plus, tu ne peux pas t'en **aller** avant de lui avoir donné ça… ajouta Colette en tendant au jeune homme son paquet-cadeau.

L'INGRÉDIENT LE PLUS PRÉCIEUX

Circulant d'une cuisine à l'autre, Gougère observait avec ADMIRATION les concurrents occupés à pétrir, mixer et trancher afin de préparer des plats sains et SAVOUREUX !

Pleine de détermination, Elly avait démarré la première : elle comptait cuisiner des lasagnes dans une version légère, uniquement garnies d'une sauce pesto au basilic et au fromage frais.

Shen, lui, venait de placer un sorbet à la pastèque au congélateur, et s'employait à TAILLER l'écorce du fruit pour en faire un récipient dans lequel le servir !

De son côté, Craig mettait la dernière main à ce qu'il avait baptisé le sandwich parfait, farci de mousse de mimolette, de salade et de légumes grillés.

L'air perplexe, Gougère s'approcha alors de la partie du plateau occupée par le chef de la brigade orange.

– Et toi, Paméla, tu ne fais rien ?

– J'ai déjà fini ! Mon plat est au four et dans quelques minutes il sera prêt ! répondit-elle en s'efforçant de sourire.

La jeune fille s'était jetée à corps perdu dans la bataille, sans toutefois cesser de se demander où étaient passés Vince et ses amies.

Elle était si **ABSORBÉE** par ses pensées qu'elle ne s'aperçut pas que l'épreuve était finie et que Gougère avait demandé aux chefs d'équipe de présenter leur recette.

Elle ne revint à la réalité que quand le cuisinier s'adressa à elle :

– Paméla, parle-nous un peu ce que tu as MITONNÉ !

Pam aurait vraiment voulu attendre l'arrivée de son frère, mais elle ne pouvait décevoir son équipe en restant muette. Ainsi se pencha-t-elle bien à contrecœur vers le four et en sortit son plat idéal. Mais lorsqu'elle se tourna à nouveau vers le public, elle eut une formidable SURPRISE : Vince et les autres Téa Sisters étaient en train de s'installer au premier rang !

Pam prit une profonde INSPIRATION et expliqua :

– Mon plat idéal est la pizza. Pas seulement parce que c'est DÉLICIEUX, mais surtout parce que chaque fois que j'en mange, j'ai l'impression

d'être dans la pizzeria de mes **parents**, et, pendant un moment, eux ainsi que mes frères et sœurs me manquent moins… Je vous présente la « PiZZa 13 » : elle est garnie de légumes et chacune de ses tranches contient l'ingrédient favori d'un des membres de ma **famille** !

Il y eut un silence ému, suivi d'applaudissements enthousiastes.

Enfin, Gougère prit la parole :

– L'équipe qui REMPORTE cette épreuve, et l'ensemble de la compétition, est la brigade orange ! Avec la «pizza 13», Paméla a en effet réussi à réaliser un plat sain et savoureux, relevé de l'ingrédient le plus précieux de tous :

l'amour !

UN MOMENT PARFAIT

Grâce aux explications de Colette, Violet, Paulina et Nicky, Vince avait compris qu'il avait tiré des CONCLUSIONS précipitées. Mais c'est en entendant sa sœur raconter ce qui lui avait inspiré la « PiZZa 13 » que ses derniers doutes s'étaient envolés : rien ni personne ne pourrait jamais prendre la place de sa famille dans le COEUR de Pam !

– Sœurette, tu as été épatante ! s'exclama-t-il en courant embrasser la gagnante, suivi des Téa Sisters.

– C'est vrai ! renchérit Paulina. Tu as été phénoménale !

– Et à titre de récompense, Vince a un cadeau

vraiment spécial pour toi ! ajouta Colette en faisant un clin d'ŒIL au jeune homme.

Lorsqu'elle déballa le paquet que son frère lui avait TIMIDEMENT tendu, Pam s'écria, tout émue :

– Waouh, c'est la photo que nous avons prise l'été dernier à LUNA PARK !

La montrant fièrement à ses amies, elle poursuivit :

– Regardez, il y a toute ma famille dessus ! Elle est magnifique ! Merci, mon cher grand frère !

Avec la **PHOTO** des siens dans les mains, son frère et ses meilleures amies à ses côtés, Pam semblait avoir **TOUT** ce que l'on peut désirer…

Il ne manquait qu'une chose pour rendre ce moment absolument *parfait* :

– Hé, les amis... Que diriez-vous d'une bonne tranche de « pizza 13 » ?

TABLE DES MATIÈRES

DANS LA MÊME COLLECTION

Et aussi...

Hors-série
Le Prince de l'Atlantide

ÎLE
DES BALEINES

L'île des Baleines

1. Pic du Faucon

2. Observatoire astronomique

3. Mont Ébouleux

4. Installations photovoltaïques
   pour l'énergie solaire

5. Plaine du Bouc

6. Pointe Ventue

7. Plage des Tortues

8. Plage Plageuse

9. Collège de Raxford

10. Rivière Bernicle

11. *L'Antique Cancoillotterie,*
    restaurant et siège des
    *Messageries Ratiques
    – Transports maritimes*

12. Port

13. Maison des Calamars

14. *Zanzibazar*

15. Baie des Papillons

16. Pointe de la Moule

17. Rocher du Phare

18. Rochers du Cormoran

19. Forêt des Rossignols

20. Villa Marée, laboratoire
    de biologie marine

21. Forêt des Faucons

22. Grotte du Vent

23. Grotte du Phoque

24. Récif des Mouettes

25. Plage des Ânons

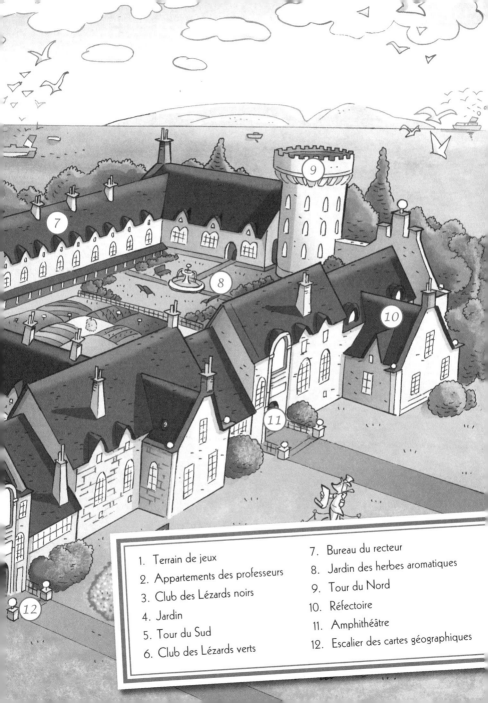

1. Terrain de jeux
2. Appartements des professeurs
3. Club des Lézards noirs
4. Jardin
5. Tour du Sud
6. Club des Lézards verts
7. Bureau du recteur
8. Jardin des herbes aromatiques
9. Tour du Nord
10. Réfectoire
11. Amphithéâtre
12. Escalier des cartes géographiques